桂图登字：20-2021-002

图书在版编目（CIP）数据

如何制作舞台剧 /（日）朝仓摄，（日）原田一树著；（日）朝仓摄绘；周龙梅译. — 南宁：接力出版社，2023.4
（大科学之友经典科普书）
ISBN 978-7-5448-8110-4

Ⅰ. ①如… Ⅱ. ①朝…②原…③周… Ⅲ. ①儿童故事-图画故事-日本-现代 Ⅳ. ① I313.85

中国国家版本馆 CIP 数据核字（2023）第 042901 号

责任编辑：陈潇潇　　美术编辑：卢　强
责任校对：高　雅　　责任监印：刘宝琪　　版权联络：闫安琪
社长：黄　俭　　总编辑：白　冰
出版发行：接力出版社　社址：广西南宁市园湖南路9号　邮编：530022
电话：010-65546561（发行部）　传真：010-65545210（发行部）
http://www.jielibj.com　E-mail:jieli@jielibook.com
经销：新华书店　印制：北京博海升彩色印刷有限公司
开本：787毫米 × 1092毫米　1/16　印张：2.75　字数：30千字
版次：2023年4月第1版　印次：2023年4月第1次印刷
印数：00 001—10 000册　定价：35.00元

大科学之友
经典科普书

如何制作舞台剧

RUHE ZHIZUO WUTAIJU

[日]朝仓摄 [日]原田一树 著 [日]朝仓摄 绘
周龙梅 译

接力出版社
Publishing House

你知道吗？大惊奇剧团要来大惊奇剧场演出了。

（“我看到海报了。大惊奇剧团是什么啊？”）

啊！你不知道？剧团哟，来演戏的。

（“演什么戏？怎么演啊？”）

《十二个月》是一部非常棒的舞台剧。演出时，请一定来剧场观看。不过这次，我可以专门带你参观一下演出前的剧场。

这里是后台门口。我们从这里进去吧。不只是演员，众多舞台工作人员也从这里出入。进门的时候，按一下签到表上写着自己名字的按钮，这样，谁来了可以一目了然。

演出日期临近的剧场，出入的人多了起来。不管任何时间，大家都会互相说一声“早安”后进入后台。

“你扮演的可是女王，表情再高傲一些……”导演的声音从排练室传出来。剧团正在排练呢。

公演是半年前决定的。此后的一段时间，要分配角色、读剧本。这期间，演员要把握角色的感觉，背台词。然后配合动作，正式开始排练。演员将导演助理准备的木箱和板子当作舞台背景，认真地练习。导演一边观察排练情况，一边按照主题指导演员在各个场景里的演技。因为《十二个月》里有歌曲也有舞蹈，所以要排练两个多月。

导演还会来到舞美室，与美术师商量舞台装置。

这部戏有一半的场面都在冬天的森林里，所以如何打造森林非常关键。另外，当主人公小姑娘唱到“滚起来，滚起来，小戒指……”，冬天的森林变成春天的森林的那一瞬间，是这部戏的最大看点。还有其他大型布景装置也要使用模型，工作人员要反复地细心讨论。

服装师在隔壁房间里构思着女王和老妇人的服装。既要考虑到便于演员做动作，又要看上去好看。经过精心设计，最后制作出满意的服装。

这次的舞台，从一月到十二月，森林里的精灵们、乌鸦、狼、松鼠、熊等隆重登场，因此，服装设计工作比往常要辛苦。

服装室宛如一家服装店，适合各种场合的服装应有尽有。这里由服装师负责管理。为了保证需要时能立即提供，要把做好的服装事先挂在这里。演员实际试穿后，如有感觉不舒服的地方，要立即修改。演出周期长的话，有时会出现服装被弄脏或开线的情况，因此要多准备几件同样的服装。

在道具制作室里，工作人员正在制作舞台上使用的道具。根据美术师画出的图纸，现在正在制作马车使用的马和森林精灵们戴的面具。

道具不仅要达到舞台效果，更重要的是装卸方便安全，而且操作简单。

在大型布景装置（大布景）的制作场地里，工作人员正在一块吊装幕布上画森林的场景。这块幕布将悬挂在舞台的最后方，营造出森林的广阔感。

另外，还有弧形幕布和几块吊起来的细条幕布。细条幕布的作用是区分舞台的左侧（从观众席看是舞台的右侧）和右侧。最后将手工制作的树木和藤蔓等组合起来，展现出郁郁葱葱的森林景象。

临近演出，“舞台合成”的日子到了。

所有工作人员都赶到剧场，大家按照舞台监督的指示布置舞台。

首先是舞台灯光师在用于灯光照明的吊杆上面安装悬挂灯和聚光灯等各种灯具。

灯具安装完毕后，开始安装大布景。先要把花费了数日绘制的吊饰挂到美术吊杆上面。

与此同时，音响师跑来跑去，安装音响，调整话筒，十分繁忙。

A
舞台
左侧

灯具、装饰等悬挂完之后，开始组装大布景。现在正在组装女王的教室和主人公小姑娘生活的老妇人的家。由于要突出森林，所以女王的教室和老妇人的家都要尽量做得小一点儿，以便从舞台左右两侧搬出。

这部戏共四幕七场，还需要很多其他的布景。从冬天变春天的精彩场面，使用从舞台中间升起的升降装置，有一种从舞台下面转换布景的大型装置，叫作“升降台”。另外，有时也会使用舞台中央可以旋转的“旋转舞台”。

舞台右边侧台里有一个排列着满满一片开关按钮的操作盘。监控电视显示出从观众席看到的整个舞台。在这里，可以操纵舞台灯光照明吊杆、悬挂吊饰的美术吊杆以及幕布的起落机关等。不能电动操作的绳索，则由人力来控制。

演出过程中，为了把握转换场面的时机，舞台监督和助手一定会守在这里。

等到舞台基本布置完毕时，灯光师、导演、舞台监督、美术师都来到观众席。为了调整舞台灯光的位置与亮度，要将舞台上除了布景以外的所有东西都移走，然后逐个决定每一个场面的灯光照明。

导演提出了“这里再暗一些怎么样”的意见。

灯光师立即通过对讲机向舞台灯光监控室下达指示，请控制灯光的工作人员变换各种灯光亮度。

接到灯光师的指令，控制灯光的工作人员在尝试了各种灯光效果之后，将最合适的亮度记录在电脑里。

但是，不能完全依靠电脑。正式演出时，在准确的时机切换光线与亮度的关键是要掌握演出的节奏，与演员配合默契。为此，工作人员要多次到达排练现场，努力记住演员们的动作。

*“STAFF”意为“工作人员”。

舞台灯光监控室旁边是音响监控室。演出过程中的声音，如暴风雪的声音、暖炉中木柴燃烧的声音等音响效果，以及演员唱歌的伴奏及其他音乐，都是在这里操作后，通过音响播放出去。与每位演员配合默契，也是音响工作的关键。

控制音响的工作人员有时要一个人同时操纵三四台录音机。

舞台灯光和音响告一段落后，台上进入了“定点”的排练步骤。所谓“定点”就是确定演员演出时在台上的位置，以及道具的位置。如果这些位置搞错了，可能会导致原本美好感人的场面，却因舞台灯光没照到演员，或是照到毫不相关的地方而看不到了。

接着是变换舞台场景的“换景”排练。为防止在正式演出中出现事故，需要推出大布景的换景，工作人员要经过充分练习。导演与舞台地下室和左边侧台保持着联系，反复细心地排练。

换景排练结束后，一切准备工作就算完成了。明天就是与正式演出完全相同的最后一次彩排了。

“离彩排开始，还有十分钟！”

舞台监督的声音通过扬声器传到了后台化妆室。演员们都在大镜子前面化妆，戴假发和头套，换服装，忙得不可开交。

“哐，哐，哐……士兵从路上走来了。肩上扛着枪，腰上别着子弹带。”有人在说台词。“嗯——第一幕从舞台右侧出场。道具的雪橇和斧头放在侧台预备好！”有人在大声确认。对于演员们来说，这是最紧张的一瞬间。

那么，演出能否圆满成功？明天的开幕令人期盼。

舞台结构

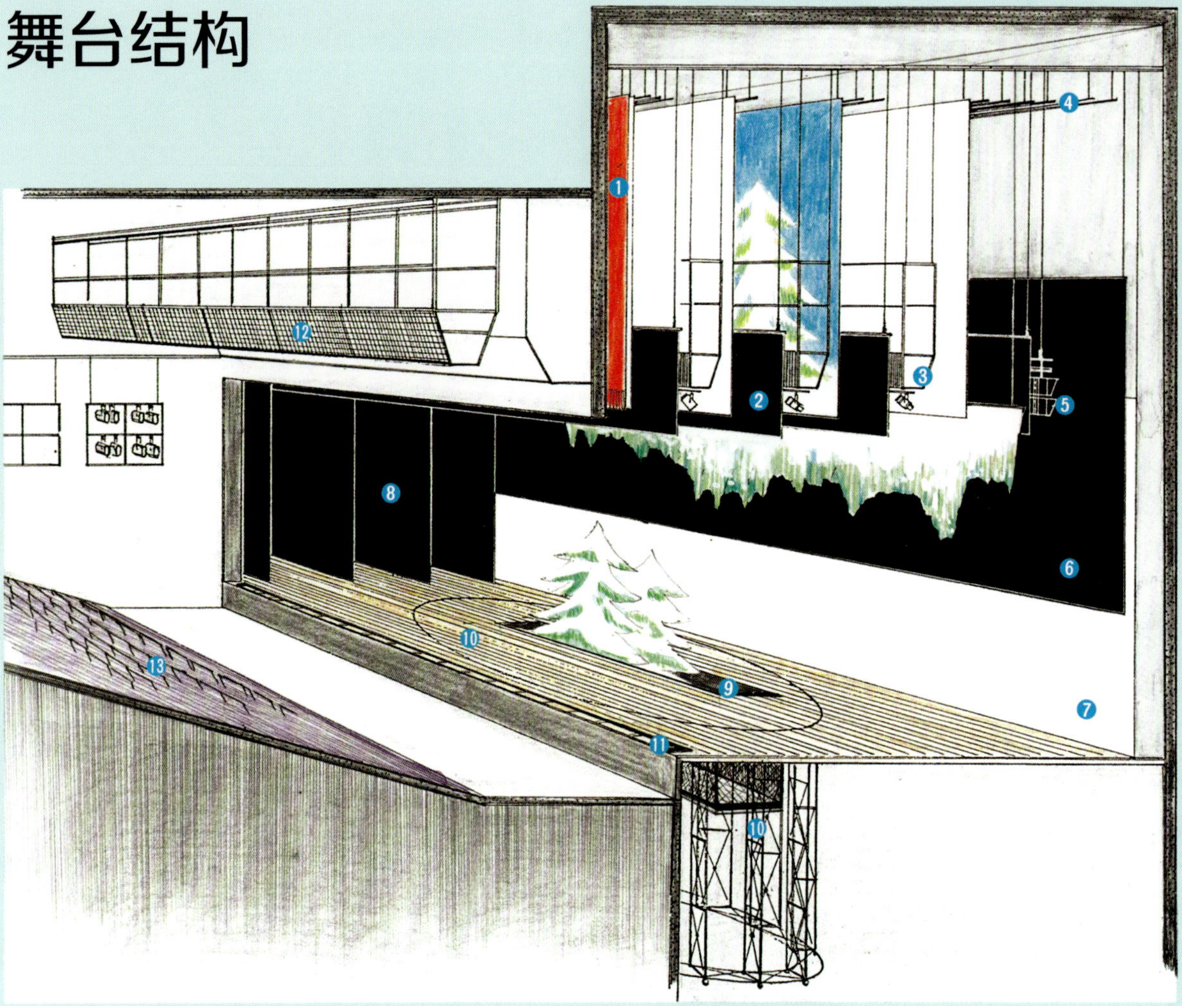

❶ 幕布——演出开始、中场休息和演出结束时升起、落下，切换场景、隔开舞台与观众席的幕布。

❷ 黑幕——为避免观众席看到台上的布景和舞台灯光照明等器具，吊起来的横幅幕布。

❸ 灯光渡桥——为安装舞台灯光照明器具，人可以登上去作业的设备。

❹ 美术吊杆——悬挂吊饰或舞台布景等器具的杆子。升起、降下，切换场景。

❺ 天空布景灯——照射舞台最后面（❼天空布景和❻大黑）的灯光照明。

❻ 大黑——为舞台烘托出某种效果，悬挂在后面的黑色幕布。日本舞台独特的设置。

❼ 天空布景——舞台最后面的墙面。主要依靠灯光照明营造天空的效果。

❽ 侧台幕布——为了避免观众席看到舞台左右两边侧台里面的幕布。

❾ 升降台——从舞台底下将演员或道具升起降下的设备。

❿ 旋转舞台——将舞台地板切割出一个圆形，旋转此处，切换场景。也叫转台。

⓫ 脚光灯——埋在舞台前面的地板里的灯光照明。

⓬ 顶光灯——在观众席的上方高处，照射舞台的灯光照明。

⓭ 观众席——与演员表演的舞台相对的、观众观看表演的座席。不同的剧场，座席各式各样。

演出当天。首场正式演出的帷幕即将拉开。

剧场一开门，就拥入了大批观众。

让各位久等了。
大惊奇剧团第十次公演，马尔夏克的《十二个月》马上就要开演了。
请大家保持安静，尽情观赏。谢谢大家！

第一幕第一场

舞台上一片雪白。

“嗷——嗷——嗷——！仔细看看这座森林，好像什么都没有啊……”

狼从雪地上露出脸来说出台词，拉开了帷幕。

怎么会什么都没有呢？太阳从云缝里露出脸来，阳光一射进来，松树上的乌鸦、树洞里的松鼠探出头，兔子也从雪堆里钻出来，大家都跑出来玩捉迷藏。

松鼠和兔子你追我，我追你，跟着节奏欢快地踏着步子。捉迷藏不知不觉变成了舞蹈，兔子唱起了歌，舞台气氛一转，变成了欢快的场面。

这时候，来了一位小姑娘。她是故事的主人公，她的继母让她来林子里拾柴火。小姑娘看到兔子和松鼠开心的样子，忍不住笑出了声。兔子吃了一惊，又躲到雪堆里去了。

小姑娘和来森林里取冷杉的士兵一起走了之后，森林里出现了十二月的精灵和一月的精灵。听他们俩说，今天是一年的最后一天。这一天，十二个月的精灵们会同往年一样聚集在森林里彻夜狂欢，直到天亮。

十二月的精灵唱道：“人类不要再进来了。”这么一唱，暴风雪刮了起来，雪花漫天飞舞，覆盖了舞台，仿佛一面白色的墙壁。

第一幕第二场

场景一变，这里是宫殿里女王的教室。虽说是女王，其实与第一场里的小姑娘同岁，才十四岁，而且同样也是一个孤儿。父亲国王和母亲王后都死去了。

博士在指导女王的学习，正对一年进行讲解：

“陛下，一年是由十二个月组成的。”

“那如果我想四月马上就来，怎么办呢？”

“那是不可能的，陛下。”

“我想要四月现在就来。因为我喜欢雪花莲……”

于是，女王的布告传遍了京城：

“新年前必须送一只装满雪花莲的篮子来。送来雪花莲的人，将会得到装满那只篮子的金币和银狐毛皮大衣。”

第一幕第三场

这里是城边一位老妇人的家。壁炉里烧着火。

老妇人和她的女儿把家里大大小小的篮子都摆在面前商量着，只听她们说：

“这只怎么样？妈妈，这只篮子可以装很多金币吧？”

“嗯，太小了不够用的。”

“要够买毛皮大衣那么多金币的吗？”

“那样，置办体面的嫁妆就足够了。买毛皮大衣和裙子也都不成问题……”

这时，在森林里拾柴火的小姑娘回来了。老妇人是这个小姑娘的继母。

母女俩赶小姑娘回到暴风雪呼啸的森林里去。

“去吧。找不到雪花莲就不要回来了。”

第二幕第一场

舞台再次回到森林深处，四周一片漆黑。暴风雪越刮越猛，小姑娘迷路了，躺在树边睡着了。不久，她被松鼠叫醒了。

“我做了一个好梦……梦见什么了呢……梦见我妈妈拿着煤油灯，一直在家里走来走去。灯光照在我眼前，但不是真的灯光……是红色的火焰……是篝火吗？是的，是篝火。”那是十二个月的精灵们一年一度欢度节日、齐声合唱时点燃的篝火。

十二个月的精灵们邀请小姑娘来篝火边取暖，询问她为什么到这森林里来。听到小姑娘说是为了寻找雪花莲，冬季的精灵们笑了。四月的精灵请冬季的精灵让出一个小时。于是，一月的精灵唱起了歌。暴风雪瞬间停止了，天空星光灿烂。接着，二月的精灵、三月的精灵唱起了歌。当四月的精灵一唱歌，雪融化了，大地迎来了雪花莲盛开的春天。

小姑娘把雪花莲装了满满一篮子。四月的精灵交给小姑娘一枚戒指：“如果遇到为难的事情，就把它抛出去，这样说：滚起来，滚起来，小戒指……”

小姑娘发誓不对任何人说起今天遇到的事，离开了森林。

第二幕第二场

老妇人和她的女儿看着眼前小姑娘摘来的雪花莲，乱成一团。

“我不是说了吗？给她拿一只大点儿的新篮子……这么小的篮子怎么能装得下很多金币呢——抓一两把就满了。”

母女俩把装雪花莲的篮子换成了一只更大的，还把篮子弄得看上去好像装满了雪花莲。而且，她们还趁小姑娘累得睡着时，把她的戒指也给偷走了。

第三幕

新年到了，这里是宫殿的大厅。为聆听女王的新年祝词，众人聚集在这里。女王却显得很不高兴。

这时，老妇人和她的女儿捧着大篮子来了。篮子里面土很多，雪花莲很少。

“陛下，这是刚刚摘来的雪花莲。是鄙人亲手摘的。”

“你们是在哪里找到雪花莲的？说给我听听。”

老妇人和她的女儿说不出话来。

“快点回答。要说实话，否则对你们没好处。”

“其实不是我们摘的。”

老妇人和她的女儿为了让小姑娘说出摘雪花莲的地方，又跑回家去。

在哪里。

马上就是经过反复排练的大布景转换。舞台侧台和地下的工作人员都在等待着舞台监督下达指示。

女王下令给小姑娘穿上毛皮大衣，并说：

“我会给你一只装满金币的篮子……让你两只手腕都戴上手镯，每根手指都戴上戒指，是钻石戒指哟，想要吧？”

“不，谢谢您。我不需要那些东西……不，一枚戒指就够了。我只想要我自己的那枚戒指。”

“她在说梦话呢，陛下。”老妇人想掩饰过去，但女王为小姑娘从老妇人手里夺回了戒指。不过条件是小姑娘带他们去雪花莲盛开的地方。

“最后再问你一遍。你带不带路去有雪花莲的地方？”

“我不去。”

女王狠狠地把那枚戒指扔进了湖里。

小姑娘想去找戒指，她挣脱侍从们冲到前面，说：

“滚起来，滚起来，小戒指。
滚到春天的入口，
滚到夏天的屋檐下，
滚到秋天的阁楼，
滚到冬天的地毯上。”

于是——

一阵狂风刮起，雪花漫天飞舞。就在人们被风刮得东倒西歪的时候，一瞬间，暴风雪戛然而止，阳光洒落，四周明亮起来，小鸟开始歌唱。顾不上惊叹春天的到来，脚下的湖中冰块发出轰响，侍从们落入水中。还没等去救他们呢，太阳又洒下灿烂的光芒，杜鹃咕咕啼鸣，蜜蜂和蝴蝶交错飞舞，季节转眼到了盛夏。这回是电闪雷鸣，天空变得昏暗，下起了瓢泼大雨，树叶被雨滴打落。转眼之间，季节又变成了秋天。狂风暴雨把树叶全掠光，四下里完全被湮没在黑暗之中。

又开始下雪了……

台上四季瞬息万变，疾速而过。

女王一行已经四散奔逃了。

这是最后的场面。

舞台是最开始小姑娘遇见十二个月的精灵时的那片森林空地。

就在小姑娘和十二个月的精灵们一边烤着篝火，一边唱歌的时候，冻僵了的女王一行跑来了。小姑娘将精灵们送给她的毛皮大衣送给了女王，并邀请她和自己一起乘雪橇回家。小姑娘说："再见了，十二个月的精灵们，我不会忘记你们的新年篝火的。"女王也说："我很想忘记，可是已经忘不掉了。""再见了，四月的精灵。""再见了，可爱的小姑娘。我会去做客的，你等着吧。"四月的精灵说。

尾声，台上是十二个月的精灵和森林伙伴们载歌载舞，欢聚一堂。

帷幕缓缓落下，观众席上传来经久不息的掌声……

感谢以下各方的帮助：

松野润 / 植村滋子 / 本田进 / 淡路公美子
樋口茂子 / 中岛由香里 / 原雅美
东京国立剧场 / 银座四季剧场

朝仓摄

1922 年生于日本东京。毕业于法国艺术学院。曾活跃在舞台美术第一线，并在桑泽设计研究所担任教授，在舞台美术家协会担任理事。曾获《戏剧》舞美设计奖、日本电影学会优秀美术奖。主要著作有《朝仓摄舞台美术作品集》，随笔集《我的幕间》。2014 年去世。

原田一树

1956 年出生于日本东京。1980 年参与设立剧团 U・快联邦。主要从事舞台监督活动，1985 年独自创建儿童空间剧团，发表了众多舞台剧作品。代表作有《冠军争夺赛》《少年维特的烦恼》《超棒的火星人》。